Levante Küche

60 köstliche Gerichte aus dem Orient und Tel Aviv

kulinarisch, vegetarisch und vegan

Inklusive Süßspeisen

1. Auflage

WirmachenDruck.de
Sie sparen, wir drucken!

Levante Küche – Tradition und Genuss

Tauche Sie ein in 1001 Geschmackserlebnisse für ihren Gaumen. Verzaubern Sie auf dieser Reise sich selbst, ihre Freunde und die gesamte Familie.

Die Levante Küche entführt Sie in fremde Länder und erläutert Ihnen die unfassbare, kulturelle Vielfalt und Essgewohnheiten jahrhundertealter Traditionen. Wandern Sie durch die Küchen Israels und Syriens. Die türkischen, persischen, arabischen und osteuropäischen Einklänge lassen Sie vor Verzückung staunen.

Die Levante Küche ist nicht nur ein Zauber an Genuss, sondern auch sehr gesund. Durch den Mix vieler vegetarischer Gerichte im Einklang mit traditionellen Fleisch- und Fischgerichten ist für jeden Anlass etwas dabei. Ob ein gemeinsamer Abend mit Freunden, das spontane Zusammenkommen mit Bekannten oder die geplante Familienfeier. Mit dem Zusammenspiel gesunder Gerichte, das Teilen der Speisen und den herrlichen, orientalischen Gewürzen werden Sie jeden begeistern.

Das Wichtigste jedoch an der Levante Küche als Zutat sind Sie und Ihr soziales Umfeld. Das gemeinsame Genießen, das Teilen und Zusammenkommen - genau das macht die Levante Küche aus.

In diesem Kochbuch finden Sie sowohl vegetarische als auch vegane Rezepte. Sie finden ebenfalls spezielle Gerichte direkt aus Tel Aviv und einige Süßspeisen zum Nachtisch.

Viel Spaß beim Kochen und guten Appetit.

Rezeptübersicht

Vegane Gerichte

Lavashbrot Persien

Zubereitungszeit: 20-25 Minuten

Schwierigkeitsgrad: Leicht

Zutatenliste für 4 Portionen:

600 g Mehl, 400 ml lauwarmes Wasser, 1 TL Salz,
1 TL Kreuzkümmel

Zubereitung:

1. Das Mehl in eine Schüssel geben und das warme Wasser sowie das Salz und den Kümmel hinzufügen. Alles zu einem glatten Teig kneten.

2. Den Teig ziehen lassen.

3. Den Teig auf einer bemehlten Fläche zu sehr dünnen Fladen ausrollen.

4. Das Lavashbrot in einer beschichteten Pfanne von beiden Seiten braten.

Eichblattsalat jüdische Küche

Zubereitungszeit: 20-25 Minuten

Schwierigkeitsgrad: Leicht

Zutatenliste für 4 Portionen:

1 Kopf Eichblattsalat, Saft einer Zitrone, 60 ml Orangensaft, Pfeffer weiß, 15 g Zucker, 3 Orangen, 100 g Datteln frisch,
50 g Pinienkerne geröstet

Zubereitung:

1. Den Salat gut waschen und abtropfen lassen. Anschließend den Salat in Streifen schneiden.

2. Den Orangensaft mit dem Zitronensaft und dem Pfeffer sowie dem Zucker zu einem Dressing verrühren.

3. Die Pinienkerne über den Salat streuen.

4. Die Orangen schälen und in Scheiben schneiden. Die Scheiben in Stücke schneiden und über den Salat geben.

5. Die Datteln klein hacken und darüber streuen.

Tahini Tomaten

Zubereitungszeit: 20-25 Minuten

Schwierigkeitsgrad: Leicht

Zutatenliste für 4 Portionen:

2 Knoblauchzehen, 4 EL Sesampaste Tahin, 4 EL Zitronensaft, 600 g Tomaten, 1 TL Sesam Samen, 4 EL Wasser, 5 Stängel Petersilie

Zubereitung:

1. Die Knoblauchzehe schälen und in eine Knoblauchpresse geben. Den Knoblauch mit dem Tahini, dem Zitronensaft und dem Wasser verrühren.

2. Die Tomaten waschen, den Strunk entfernen und die Tomaten würfeln.

3. Die Petersilie waschen und abtropfen lassen. Die Stiele entfernen und die Petersilie grob hacken.

4. Alles vermischen und den Salat 1 Stunde in den Kühlschrank stellen.

Okraschote aus dem Backofen

Zubereitungszeit: 20-25 Minuten

Schwierigkeitsgrad: Leicht

Zutatenliste für 4 Portionen:

400 g Okraschoten, 7 EL Öl, 4 Knoblauchzehen, 20g Ingwer gehackt, 2 EL Tomatenmark, 5 Tomaten, 1 TL Chiliflocken, 2 TL Zucker, Salz, Pfeffer, 1 EL Koriander gehackt

Zubereitung:

1. Den Backofen auf 200°C (Ober- und Unterhitze) vorheizen. Ein Backblech mit Backpapier auslegen.

2. Die Okraschoten waschen und die Stiele entfernen. Die Okraschoten mit 5 Esslöffel Öl, Salz und Pfeffer vermischen.

3. Die Okraschoten auf das Backblech geben und für 20 Minuten garen.

4. Die restlichen 2 Esslöffel Öl in einen Topf geben und erhitzen.

5. Die Knoblauchzehen schälen und klein hacken. Die Tomaten waschen und klein hacken. Beides in das Öl geben.

6. Die Chiliflocken sowie die restlichen Gewürze hinzufügen und die Soße eindicken lassen.

7. Die Okraschoten aus dem Ofen nehmen und mit der Soße auf einem Teller anrichten.

Harissa Gewürzpaste

Zubereitungszeit: 20-25 Minuten

Schwierigkeitsgrad: Leicht

Zutatenliste für 4 Portionen:

100 g Chilischote getrocknet, 8 Knoblauchzehen, 30 g Salz, 30g Kreuzkümmel, 30g Koriander, 150 ml Öl

Zubereitung:

1. Die Chilischoten vom Ansatz trennen und längs aufschneiden. Die Chili mit kochendem Wasser übergießen und 5 Minuten quellen lassen. Das Wasser abgießen.

2. Den Knoblauch schälen und mit den restlichen Zutaten in einen Mixer geben. Alles gut pürieren.

Bohnen libanesisch

Zubereitungszeit: 20-25 Minuten

Schwierigkeitsgrad: Leicht

Zutatenliste für 4 Portionen:

1 kg Bohnen grün, 3 Zwiebeln, 1 Knoblauchknolle, 100 ml Öl,
1 kg Tomaten, Salz, Pfeffer

Zubereitung:

1. Die Bohnen reinigen und halbieren.

2. Die Zwiebel und den Knoblauch schälen und klein hacken.

3. Die Tomaten waschen und den Strunk entfernen. Anschließend die Tomaten häuten und klein hacken.

4. Das Öl in einer großen Pfanne erhitzen und die Zwiebel mit dem Knoblauch darin anbraten. Die Bohnen und die Tomaten dazu geben und alles weich kochen.

5. Die Hitze runter nehmen und langsam köcheln lassen.

6. Die Gewürze dazu geben.

Pikante Walnusspaste

Zubereitungszeit: 20-25 Minuten

Schwierigkeitsgrad: Leicht

Zutatenliste für 4 Portionen:

200 g Walnüsse, 75 g Semmelbrösel, 2 EL Kurkuma,
2 EL Paprikapulver rosenscharf, 1 EL Harissa Gewürz,
Saft einer Zitrone, 50 ml Granatapfelsirup, 250 ml Öl, 2 TL Salz

Zubereitung:

1. Die Walnüsse fein hacken.

2. Die Walnüsse mit den Semmelbröseln, den Gewürzen und dem Sirup vermischen.

3. Das Öl nach und nach unterkneten.

4. Die Paste am besten über Nacht ziehen lassen und kalt mit Fladenbrot servieren.

Balilah

Zubereitungszeit: 20-25 Minuten

Schwierigkeitsgrad: Leicht

Zutatenliste für 4 Portionen:

1 Dose Kichererbsen, 3 Frühlingszwiebeln, 30 g Petersilie, 50 ml Öl, 50 ml Limettensaft, Prise Kreuzkümmel, Salz, Pfeffer

Zubereitung:

1. Die Frühlingszwiebeln und die Petersilie waschen und abtropfen lassen. Beides klein hacken.

2. Die Kichererbsen abtropfen lassen.

3. Die Kichererbsen mit dem Limettensaft, dem Öl, den Gewürzen und den Kräutern vermischen, dann 10 Minuten ziehen lassen.

Zitronen Linsen

Zubereitungszeit: 45 Minuten

Schwierigkeitsgrad: Leicht

Zutatenliste für 4 Portionen:

2 Kartoffeln, 1 EL Öl, 3 Knoblauchzehen, 4 EL Koriander, 2 EL Mehl, 2 EL Wasser, 4 EL Zitronensaft, Salz, Pfeffer, 750 g Linsen

Zubereitung:

1. Die Linsen in heißes kochendes Wasser geben und 15 Minuten köcheln.

2. Die Kartoffeln schälen und würfeln, die Kartoffeln zu den Linsen geben und weitere 20 Minuten köcheln.

3. Das Öl in der Pfanne erhitzen.

4. Den Knoblauch schälen und den Koriander mit dem Knoblauch klein hacken. Beides in die Pfanne geben und anbraten.

5. Die Linsen und die Kartoffeln abgießen und in die Pfanne geben.

6. Das Mehl mit dem Wasser verrühren und die Masse in der Pfanne andicken, 30 Minuten auf kleiner Flamme ziehen lassen und den Zitronensaft sowie die Gewürze dazu geben.

Blumenkohl Arabian

Zubereitungszeit: 20-25 Minuten

Schwierigkeitsgrad: Leicht

Zutatenliste für 4 Portionen:

1 Blumenkohl, 100 g Cashewkerne, 50 g Cranbarries,
1 EL Ras el Hanout, 1 Prise Salz, Pfeffer, Öl zum braten

Zubereitung:

1. Den Blumenkohl waschen und in Röschen zerteilen. Den Blumenkohl über eine grobe Reibe reiben. Es soll eine Art Reis entstehen.

2. Den Blumenkohl in die Pfanne mit dem Öl geben und für 20 Minuten anbraten. Die Cashewkerne dazu geben und mit anrösten.

3. Die Gewürze darüber verteilen und alles durchziehen lassen.

Mujadara

Zubereitungszeit: 20-25 Minuten

Schwierigkeitsgrad: Leicht

Zutatenliste für 4 Portionen:

1 Glas Bulgur, 1 Glas Linsen, 5 Gläser Wasser, 4 Zwiebeln, 5 EL Öl, 1 TL Salz

Zubereitung:

1. Die Zwiebeln schälen und in Ringe schneiden. Das Öl in den Topf geben und die Zwiebel darin frittieren.

2. Die Linsen in den Topf geben und das Wasser dazu geben. Die Linsen ca. 45 Minuten kochen, bis sie weich sind.

3. Nun den Bulgur dazu geben und das Salz einrühren. 15 Minuten köcheln lassen.

4. Den Bulgur, die Linsen und die Zwiebeln vermischen und gerne mit einem Minz-Dip genießen.

Cig Köfte Couscous

Zubereitungszeit: 20-25 Minuten

Schwierigkeitsgrad: Leicht

Zutatenliste für 4 Portionen:

500 g Couscous, 1 Dose Tomatenstücke, 2 Knoblauchzehen, 1 EL Chiliflocken, 2 EL Salz, 1 Tasse Geraldine Sirup,
2 Tassen Öl

Zubereitung:

1. Den Couscous mit der Tomatendose, den Gewürzen sowie der Geraldine verrühren und ziehen lassen.

2. Den Knoblauch schälen und klein hacken. Den Knoblauch unter das Couscous geben und für 30 Minuten ziehen lassen.

3. Das Öl unter den Couscous geben und alles verkneten. Den Teig nochmals für 15 Minuten ziehen lassen und mit der Hand zu Köfte formen.

Baba Ganoush

Zubereitungszeit: 20-25 Minuten

Schwierigkeitsgrad: Leicht

Zutatenliste für 4 Portionen:

3 Knoblauchzehen, 1 Aubergine, 3 EL Tahin, 1 EL Zitronensaft, 1/2 TL Kreuzkümmel, 1/2 TL Cayennepfeffer, 1/2 TL Salz

Zubereitung:

1. Die Aubergine halbieren und die Hälften mit dem Salz bestreuen. Nach 10 Minuten das Salz grob abreiben und die Aubergine mit der Schnittfläche nach unten auf ein Backblech mit Backpapier geben.

2. Die Aubergine für 20 Minuten bei 180°C Umluft backen.

3. Die Aubergine abkühlen lassen und das Fruchtfleisch heraus lösen. Das Fruchtfleisch mit den anderen Zutaten in den Mixer geben und alles zu Mus pürieren.

Libanesischer Krautsalat

Zubereitungszeit: 20-25 Minuten

Schwierigkeitsgrad: Leicht

Zutatenliste für 4 Portionen:

400 g Weißkohl in Streifen, 2 Knoblauchzehen,
100 ml Zitronensaft, 100 ml Öl, 10 g Minze gehackt,
3 EL Kreuzkümmel

Zubereitung:

1. Den Knoblauch schälen, durch die Presse zum Salz geben und zu einer Paste vermischen. Den Zitronensaft langsam unterrühren.

2. Die Sauce in eine große Schüssel geben und das Öl unterheben. Den Kohl mit der Minze und dem Kümmel unterrühren und alles für 30 Minuten ziehen lassen.

Pita Brot

Zubereitungszeit: 20-25 Minuten

Schwierigkeitsgrad: Leicht

Zutatenliste für 4 Portionen:

300 ml lauwarmes Wasser, 1 Päckchen Hefe, 1 TL Salz,
450 g Mehl, Sesam zum Bestreuen.

Zubereitung:

1. Das Wasser, die Hefe, das Salz und das Mehl in eine Schüssel geben und gut durchkneten, dann für 45 Minuten ruhen lassen.

2. Den Teig nochmals durchkneten und 10 runde flache Fladen formen.

3. Die Fladen auf ein Backblech mit Backpapier legen und mit Wasser bestreichen. Den Sesam darüber streuen.

4. Die Fladen bei 225°C Ober und Unterhitze für 10 Minuten backen.

Fattous Tel Aviv Salat

Zubereitungszeit: 20-25 Minuten

Schwierigkeitsgrad: Leicht

Zutatenliste für 4 Portionen:

2 Pita Brote, 1 TL Öl, 1 TL Zaatar Gewürzmischung, 1 Tomate, 1 Salatgurke, 1 Paprika Rot, 1/2 Weißkohl, 1/2 Rotkohl, 1 Karotte, 1 Bund Petersilie, Saft von 1 Zitrone, Salz, Pfeffer

Zubereitung:

1. Die Pita Brote in Streifen schneiden und mit dem Öl und dem Zaatar vermischen. Die Pita Streifen auf ein Backblech mit Backpapier geben und bei 200°C Umluft goldbraun backen.

2. Die Tomate waschen, den Strunk entfernen und die Tomate würfeln.

3. Die Salatgurke schälen und in Würfel schneiden.

4. Die Paprika waschen, den Strunk sowie die Kerne entfernen und die Paprika würfeln.

5. Die Karotte waschen und das Grün entfernen. Zusammen mit dem Weiß- und Rotkohl über einer Reibe reiben.

6. Die Zutaten in eine Schüssel schichten und das Salz mit dem Pfeffer und dem Saft der Zitrone vermischen und darüber verteilen.

7. Die Pita Streifen darüber geben.

Bulgur Salat

Zubereitungszeit: 20-25 Minuten

Schwierigkeitsgrad: Leicht

Zutatenliste für 4 Portionen:

150 g Bulgur, 150 g Granatapfelkerne, 1 Salatgurke, 4 Tomaten, 3 Frühlingszwiebeln, 2 Bund Petersilie, 1 Bund Minze, 6 EL Zitronensaft, 4 EL Öl, Salz, Pfeffer

Zubereitung:

1. Den Bulgur nach Anweisung kochen. Er sollte etwas bissfest sein, da der Bulgur im Salat nochmals etwas weicher wird.

2. Die Tomaten waschen, den Strunk entfernen und die Tomaten würfeln. Die Gurke schälen und ebenfalls würfeln.

3. Die Frühlingszwiebeln, die Minze und die Petersilie waschen und klein hacken.

4. Den Bulgur mit den Tomaten, den Granatapfelkernen, der Gurke und den Kräutern in eine Schüssel geben.

5. Den Zitronensaft mit dem Öl, Pfeffer und Salz vermischen und das Dressing über den Salat geben.

Humus

Zubereitungszeit: 20-25 Minuten

Schwierigkeitsgrad: Leicht

Zutatenliste für 1 Portionen:

1 Dose Kichererbsen, 60 ml Öl kaltgepresst, 60 ml Zitronensaft, 2 EL Wasser, 1/2 TL Salz, 1 Prise Paprikapulver, 2 EL Sesam, 1 EL Mohn

Zubereitung:

1. Die Kichererbsen abtropfen lassen und mit dem Zitronensaft, dem Öl und den Gewürzen in einen Mixer geben.

2. Das Mus in Schälchen geben und mit dem Sesam und dem Mohn bestreuen.

Falafel Bällchen

Zubereitungszeit: 20-25 Minuten

Schwierigkeitsgrad: Leicht

Zutatenliste für 4 Portionen:

250 g Kichererbsen, 3 Knoblauchzehen, 1 handvoll Petersilie, 1 handvoll Koriander, 1 Chili, 2 EL Mehl, 1 TL Backpulver, 1 TL Kreuzkümmel, 1 TL Koriander, Prise Ingwer, 1 EL Salz, 1 Prise Pfeffer, Öl zum Frittieren

Zubereitung:

1. Die Kichererbsen über Nacht im Wasser quellen lassen. Am nächsten Tag die Kichererbsen abgießen und in einen Mixer geben.

2. Die Kräuter waschen und abtropfen lassen, die Kräuter mit in den Mixer geben. Die Chili waschen und den Strunk entfernen. Die Chili mit in den Mixer geben.

3. Die Knoblauchzehe schälen und mit in den Mixer geben. Die Gewürze dazu geben und alles pürieren.

4. Aus dem Mus Bällchen formen und die Falafel Bällchen 3 Minuten lang frittieren.

Vegetarische Gerichte

Linsenreis mit Datteln und Rosinen

Zubereitungszeit: 20-25 Minuten

Schwierigkeitsgrad: Leicht

Zutatenliste für 4 Portionen:

450 g Reis, 150 g fertige Linsen, 1 Zwiebel, Zimt, Kardamom, Salz, Pfeffer, 1 EL Öl, 100 g Rosinen, 100 g Datteln, 100 g Mandelstifte, Zucker, 1 Prise Safran

Zubereitung:

1. Die Zwiebel schälen und klein hacken. Das Öl erhitzen und die Zwiebel darin anbraten. Die Linsen hinzufügen und kurz mit anbraten.

2. Die Datteln klein schneiden und die Rosinen klein hacken.

3. Den Reis nach Anleitung kochen und etwas abkühlen lassen.

4. Die Zwiebel, Linsen, Datteln, Rosinen und den Reis in eine Schüssel geben.

5. Den Safran in etwas heißem Wasser auflösen und mit den Gewürzen in den Salat geben. Alles für 30 Minuten ziehen lassen.

6. Die Mandeln darüber streuen.

Tahina Sesambrei

Zubereitungszeit: 20-25 Minuten

Schwierigkeitsgrad: Leicht

Zutatenliste für 4 Portionen:

2 Tassen Sesambrei Tahin aus dem Glas, 1 Tasse Wasser, 1 Tasse Zitronensaft, 2 TL Salz, 2 Knoblauchzehen, 1 Prise Pfeffer, 1/2 Bund Petersilie, 1 TL Paprikapulver edelsüß

Zubereitung:

1. Das Tahin gut durch rühren im Glas.

2. Das Tahin in eine Schüssel geben.

3. Das Wasser mit dem Zitronensaft mischen und unter ständigem Rühren mit dem Tahin vermischen.

4. Die Knoblauchzehen schälen und durch eine Presse ins Tahin geben. Das Tahin würzen und immer weiter verrühren.

5. Die Petersilie waschen und abtropfen lassen. Die Petersilie klein hacken und darüber streuen.

Bandari persisches Gemüse

Zubereitungszeit: 20-25 Minuten

Schwierigkeitsgrad: Leicht

Zutatenliste für 4 Portionen:

3 Schalotten, 1/2 Blumenkohl, 250 ml Essig hell, 1 EL Salz, 2 EL Gemüsebrühepulver, 1 Karotte, 4 saure Gurken mit Flüssigkeit und Kräutern des Glases, 3 EL Tomatenmark, 1 Aubergine, Salz, Pfeffer

Zubereitung:

1. Die Schalotten schälen und in feine Ringe schneiden.

2. Die Karotte waschen, das Grün entfernen und die Karotte in Scheiben schneiden.

3. Die Aubergine waschen, das Ende entfernen und die Aubergine in Würfel schneiden.

4. Den Blumenkohl waschen und in Röschen teilen.

5. Die sauren Gurken abtropfen lassen und in Scheiben schneiden.

6. Den Saft der sauren Gurken mit den Gewürzen in einen Topf geben und erhitzen. Den Essig dazu geben und das Gemüse dazu geben. Alles so lange kochen, bis das Gemüse weich ist.

7. Die Flüssigkeit reduzieren lassen und das Tomatenmark einrühren. Mit Salz und Pfeffer würzen.

Lobia Georgisch

Zubereitungszeit: 20-25 Minuten

Schwierigkeitsgrad: Leicht

Zutatenliste für 4 Portionen:

300 g Kidneybohnen, 2 Lorbeerblätter, 2 Zwiebeln, 5 Knoblauchzehen, 2 Chili, 50 ml Öl, 1 EL Rotweinessig, 1 TL Koriander, 3 Stängel Safran, 1 Bund Koriander

Zubereitung:

1. Die Kidneybohnen abtropfen lassen.

2. Zwei Knoblauchzehen und die Lorbeerblätter mit den Bohnen kurz aufkochen. Die Bohnen für 10 Minuten ziehen lassen und abgießen.

3. Die Safranfäden in heißem Wasser auflösen.

4. Die Zwiebeln schälen und würfeln, dann die Zwiebeln in Öl anbraten und mit dem Korianderpulver und dem Safransud würzen.

5. Die restlichen drei Knoblauchzehen mit dem Koriander und der Chili in einem Mixer pürieren.

6. Die Bohnen zerstampfen und zu den Zwiebeln in die Pfanne geben. Das Knoblauchpüree darüber geben und mit dem Rotweinessig und dem Pflanzenöl vermischen und erhitzen.

Kussa

Zubereitungszeit: 20-25 Minuten

Schwierigkeitsgrad: Leicht

Zutatenliste für 4 Portionen:

750 g Zucchini, 1 Zwiebel, 2 Tomaten, 2 EL Tomatenmark,
2 TL Thymian, 2 Knoblauchzehen, 150 ml Gemüsebrühe, 2 EL Öl

Zubereitung:

1. Die Zucchini waschen und die Enden entfernen. Die Zucchini in dünne Scheiben schneiden.

2. Die Zwiebel schälen und fein hacken.

3. Die Tomaten waschen und den Strunk sowie die Kerne heraus nehmen und die Tomaten klein hacken.

4. Die Knoblauchzehen schälen und klein hacken.

5. Das Öl in einem Topf erhitzen und die Zucchini anbraten. Den Knoblauch, Thymian und die Zwiebeln mit anbraten. Das Tomatenmark mit den Tomaten und den Gewürzen hinzufügen und mit der Gemüsebrühe ablöschen.

6. Alles für 20 Minuten garen.

Cielitos Pchala

Zubereitungszeit: 20-25 Minuten

Schwierigkeitsgrad: Leicht

Zutatenliste für 4 Portionen:

1500 g Spinat frisch, 1 Zwiebel, 3 Knoblauchzehen,
100 g Walnüsse, 4 TL Petersilie, 4 TL Koriandergrün,
2 EL Zitronensaft, 2 Safranfäden, 1 EL Öl, 1 TL Pfeffer, 1 TL Salz

Zubereitung:

1. Den Spinat waschen und die Stiele entfernen. Den Spinat in Wasser weichkochen und den Spinat danach ausdrücken, fein hacken und in eine Schüssel geben.

2. Die Knoblauchzehen und die Zwiebel schälen und fein hacken. Beides im Öl glasig braten und den Spinat dazu geben.

3. Den Koriander, die Petersilie und den Pfeffer sowie den Zitronensaft, Safran und die Walnüsse und die Spinatmischung in einen Mixer geben und pürieren.

4. Mit Salz würzen.

Karotten Hummus

Zubereitungszeit: 20-25 Minuten

Schwierigkeitsgrad: Leicht

Zutatenliste für 4 Portionen:

4 Karotten, 1 Dose Kichererbsen, 2 EL Sesampaste Tahini, 1 TL Paprikapulver, 1 TL Kreuzkümmel, 1 Zwiebel, 1 Knoblauchzehe, 1 EL Zitronensaft, 1 EL Öl, Wasser

Zubereitung:

1. Die Karotten waschen und das Grün entfernen. Die Zwiebel schälen und in Ringe schneiden. Den Knoblauch schälen.

2. Die Karotten und die Zwiebeln mit dem Öl, Salz und Pfeffer mischen und auf einem Backblech auslegen. Bei 200°C Umluft für 20 Minuten rösten und abkühlen lassen.

3. Alle Zutaten in den Mixer geben und mit 100-150 ml Wasser pürieren.

Saloradschrow armenische Suppe

Zubereitungszeit: 20-25 Minuten

Schwierigkeitsgrad: Leicht

Zutatenliste für 4 Portionen:

200 g Kichererbsen trocken, 100 g Backpflaumen, Salz, Pfeffer,
1 Bund Dill, 1 Bund Frühlingszwiebel,

Zubereitung:

1. Die Kräuter waschen und abtropfen lassen. Den Dill mit den Frühlingszwiebeln klein hacken.

2. Die Backpflaumen reinigen, entkernen und für 30 Minuten im warmen Wasser quellen lassen.

3. Die Kichererbsen über Nacht einweichen und am Morgen aufkochen. Die Hälfte der Kichererbsen entnehmen. Den Rest der Kichererbsen im Wasser mit einem Mixstab pürieren.

4. Die Suppe mit Salz und Pfeffer würzen.

5. Die Backpflaumen abgießen und klein hacken.

6. Die Zutaten nun alle zusammen wieder in die Suppe geben und für 10 Minuten ziehen lassen.

Rote Beete Hummus

Zubereitungszeit: 20-25 Minuten

Schwierigkeitsgrad: Leicht

Zutatenliste für 4 Portionen:

400 g Kichererbsen aus der Dose, 1 Knolle Rote Beete, 3 Knoblauchzehen, 2 EL Sesampaste, 2 EL Zitronensaft, 2 EL Öl, 1/2 TL Kreuzkümmel, 1/2 TL Salz, 2 EL Petersilie gehackt

Zubereitung:

1. Den Backofen auf 180°C Umluft vorheizen.

2. Die rote Beete mit dem Sparschäler schälen, halbieren und mit einer Gabel mehrmals einstechen.

3. Den Knoblauch schälen und mit der roten Beete und dem Öl mischen. Die rote Beete und den Knoblauch in Alufolie geben und zupacken. Alles für 40 Minuten im Ofen rösten und abkühlen lassen.

4. Die rote Beete in Stücke schneiden und mit den Kichererbsen und dem Knoblauch pürieren.

5. Die Gewürze hinzufügen und gut mischen.

Tabouleh

Zubereitungszeit: 30-45 Minuten

Schwierigkeitsgrad: Leicht

Zutatenliste für 4 Portionen:

1 Tasse Bulgur, 1 Tasse kochendes Wasser, 2 EL Öl,
1 Bund Petersilie, 2 Zitronen, 4 Tomaten, 1 Zwiebel, Salz, Pfeffer

Zubereitung:

1. Den Bulgur mit dem Wasser in eine Schüssel füllen und abgedeckt 30 Minuten ziehen lassen.

2. Die Zwiebel schälen und in feine Streifen schneiden.

3. Die Petersilie waschen und abtropfen lassen, die Petersilie grob hacken.

4. Die Zitronen auspressen und den Saft mit dem Öl und Salz sowie Pfeffer vermischen.

5. Die Tomaten waschen und den Strunk entfernen, die Tomaten klein hacken.

6. Alles mit dem Bulgur vermischen und 10 Minuten ziehen lassen.

Reis Afghanisch

Zubereitungszeit: 20-25 Minuten

Schwierigkeitsgrad: Leicht

Zutatenliste für 4 Portionen:

1 Zwiebel, 2 Safranfäden, 1 Liter Gemüsebrühe,
250 g Basmati- Reis, 1 TL Kurkuma, 1 TL Kreuzkümmel,
1 TL Kardamom, Salz, Pfeffer, 100 g Mandelstifte, 500 g Karotten,
1 Bund Frühlingszwiebeln,
150 g getrocknete Aprikose, 150g Rosinen, 2 EL Öl

Zubereitung:

1. Die Karotten waschen und das Grün entfernen. Die Karotten in Scheiben schneiden.

2. Die Frühlingszwiebeln in Ringe schneiden, waschen und abtropfen lassen.

3. Die Aprikosen klein hacken.

4. Die Zwiebel schälen und in Würfel schneiden, die Zwiebelwürfel in einer Pfanne mit Öl anbraten. Den Reis und Safran dazu geben und ebenfalls mit anbraten. Die Gemüsebrühe zum Ablöschen darüber gießen und den Reis garen.

5. Den Reis abgießen und abkühlen lassen. Die anderen Zutaten dazu geben und umrühren.

Anatolische Frikadellen

Zubereitungszeit: 20-25 Minuten

Schwierigkeitsgrad: Leicht

Zutatenliste für 4 Portionen:

300 g Kartoffeln gekocht, 300 g Couscous fein, 1 Bund Petersilie, 1 Lauchzwiebel, Saft einer Zitrone, 2 Salatherzen, Salz, Öl

Zubereitung:

1. Die Salatherzen auseinander trennen und die Blätter waschen und abtropfen lassen.

2. Die Kartoffeln pellen.

3. Den Couscous mit kochendem Wasser übergießen und 10 Minuten quellen lassen. Die Kartoffeln stampfen und mit dem Couscous verkneten.

4. Die Petersilie waschen und abtropfen lassen, die Petersilie klein hacken und ebenfalls in den Teig geben.

5. Die Lauchzwiebel waschen und die Wurzeln entfernen, die Lauchzwiebel fein hacken und auch in den Teig geben.

6. Den Zitronensaft und das Salz sowie das Öl einkneten und aus dem Teig kleine Frikadellen formen und auf die Salatblätter legen.

Feta Dip

Zubereitungszeit: 20-25 Minuten

Schwierigkeitsgrad: Leicht

Zutatenliste für 4 Portionen:

1 Packung Seidentofu, 50 g Walnüsse, 6 EL Tomatenmark,
2 Knoblauchzehen, 2 EL Öl, Salz, Pfeffer,
1 TL Harissawürzmischung, 1 Bund Petersilie

Zubereitung:

1. Die Petersilie waschen und abtropfen lassen.

2. Die Zutaten zusammen in einen Mixer geben und für 2 Minuten pürieren.

Falafel

Zubereitungszeit: 20-25 Minuten

Schwierigkeitsgrad: Leicht

Zutatenliste für 4 Portionen:

150 g Kichererbsen gekocht, 300 g Erbsen TK, 40 g Haferflocken, 6 EL Koriander, 6 EL Petersilie, 1 Chili, 3 TL Kreuzkümmel, 1 Prise Salz, 1 Prise Pfeffer, 3 Knoblauchzehen, 1 Liter Öl zum frittieren.

Zubereitung:

1. Die Haferflocken in einem Mixer zu Mehl verarbeiten und zur Seite stellen.

2. Die Kräuter waschen und abtropfen lassen. Den Knoblauch schälen.

3. Die Kichererbsen, Erbsen, Knoblauch, Koriander und Petersilie in einen Mixer geben und gut pürieren.

4. Die Gewürze und das Haferflocken Mehl unterheben.

5. Den Teig zu Tennisball großen Falafel formen und das Öl erhitzen.

6. Die Falafel frittieren.

Orientalischer Linsensalat

Zubereitungszeit: 20-25 Minuten

Schwierigkeitsgrad: Leicht

Zutatenliste für 4 Portionen:

250 g Belugalinsen, 1 Zwiebel, 65 g getrocknete Aprikose,
50 g Granatapfelkerne, 3 Stängel Minze,
7 schwarze Oliven ohne Stein, 1 TL Kreuzkümmel,
2 EL Granatapfel Essig, 1 Chili

Zubereitung:

1. Die Belugalinsen nach Anweisung kochen. Die Linsen in eine Salatschüssel geben.

2. Die Aprikosen klein schneiden und zu den Linsen geben.

3. Die Zwiebel schälen und klein hacken. Die Zwiebel und die Oliven hinzufügen.

4. Die Granatapfelkerne mit den Gewürzen und dem Essig hinzufügen.

5. Die Minze waschen und abtropfen lassen.

6. Den Salat mit der Minze bestreuen.

Almogrote spanisch

Zubereitungszeit: 20-25 Minuten

Schwierigkeitsgrad: Leicht

Zutatenliste für 4 Portionen:

1 Tomate, 7 Knoblauchzehen, 250 g Schafskäse,
1 EL Paprikapulver scharf, 1 Chili, Salz, Pfeffer, 200 ml Öl,
2 EL Sojasauce

Zubereitung:

1. Die Tomate unter heißem Wasser abwaschen und die Haut abziehen. Den Strunk der Tomate entfernen.

2. Den Knoblauch schälen.

3 .Die Chili waschen und den Strunk entfernen.

4. Alles zusammen in einen Mixer geben und pürieren.

Gözelem mit Schafskäse

Zubereitungszeit: 20-25 Minuten

Schwierigkeitsgrad: Leicht

Zutatenliste für 4 Portionen:

1 kg Mehl, 1 EL Salz, 4 EL Öl, 700 ml warmes Wasser,
200 g Schafskäse, 1 Bund Petersilie, 1 Bund Dill,
1 Bund Pfefferminz

Zubereitung:

1. Das Öl mit dem Mehl und dem Salz vermischen. Aus dem Teig Kugeln formen und diese sehr dünn ausrollen.

2. Die Kräuter waschen und klein hacken und mit dem Schafskäse verkneten.

3 .Die Gözelem mit der Schafskäsefüllung belegen und zuklappen.

4. Die Gözelem von beiden Seiten in einer beschichteten Pfanne ohne Öl backen und die Gözelem nach dem Backen von beiden Seiten mit Butter einreiben.

Gözelem mit Kartoffel

Zubereitungszeit: 20-25 Minuten

Schwierigkeitsgrad: Leicht

Zutatenliste für 4 Portionen:

1 kg Mehl, 1 EL Salz, 4 EL Öl, 700 ml warmes Wasser,
1 kg Kartoffeln, 1 Bund Petersilie, 1 Bund Dill, 1 Bund Pfefferminz,
3 Zwiebeln, 1 Knoblauchzehe, 1 TL Salz, 1 TL Pfeffer, 2 TL Paprikapulver, 5 EL Öl

Zubereitung:

1. Das Öl mit dem Mehl und dem Salz vermischen. Aus dem Teig Kugeln formen und diese sehr dünn ausrollen.

2. Die Kräuter waschen und klein hacken. Die Zwiebel und den Knoblauch schälen und ebenfalls klein hacken.

3. Die Kartoffeln kochen und pellen, anschließend die Kartoffeln zerdrücken und mit dem Öl, den Gewürzen, Kräutern, Zwiebeln und Knoblauch vermischen.

4. Die Gözelem mit der Füllung belegen und zuklappen.

5. Die Gözelem von beiden Seiten in einer beschichteten Pfanne ohne Öl backen und die Gözelem danach von beiden Seiten mit Butter einreiben.

Israelische Tomatensuppe

Zubereitungszeit: 20-25 Minuten

Schwierigkeitsgrad: Leicht

Zutatenliste für 4 Portionen:

3 EL Öl, 2 Zwiebeln, 4 Knoblauchzehen, 1 Stange Sellerie, 1 TL Korianderpulver, 1 TL Kreuzkümmel, 2 TL Paprikapulver, 2 TL Thymian, 1/2 Koriander, 2 EL Tomatenmark, 5 Tomaten, 1,2 Liter Gemüsebrühe, 1 Dose Tomaten stückig, 1 TL Salz, 2 EL Zitronensaft

Zubereitung:

1. Die Tomaten waschen und den Strunk entfernen, die Tomaten hacken.

2. Den Sellerie leicht schälen und in kleine Stücke schneiden.

3. Die Zwiebeln und den Knoblauch schälen und klein hacken.

4. Das Öl in einen Topf geben. Die Zwiebeln und den Knoblauch anbraten. Den Sellerie und die Tomaten dazu geben.

5. Die Gemüsebrühe und die Dose Tomaten dazu geben und mit den Gewürzen würzen.

6. Die Suppe für 30 Minuten köcheln lassen.

7. Den Koriander waschen und abtropfen lassen, den Koriander klein hacken und darüber streuen.

Fleischgerichte

Schweinespieße maurisch

Zubereitungszeit: 20-25 Minuten

Schwierigkeitsgrad: Leicht

Zutatenliste für 4 Portionen:

300 g Schweinefilet, 1 Knoblauchzehe, 3 EL Öl, 2 EL Zitronensaft, Salz, 1 TL Kümmel, 1 Prise Koriander, 1 Prise Chili, 1 EL Paprikapulver edelsüß

Zubereitung:

1. Das Schweinefilet in Streifen schneiden.

2. Die Knoblauchzehe schälen und durch eine Presse geben.

3. Die Gewürze und das Öl sowie den Zitronensaft und den Knoblauch verrühren. Die Fleischstreifen hineinlegen und 2 Stunden ziehen lassen.

4. Die marinierten Streifen auf Spieße aufspießen und in einer Pfanne mit Öl oder auf einem Grill anbraten.

Hähnchen Couscous

Zubereitungszeit: 20-25 Minuten

Schwierigkeitsgrad: Leicht

Zutatenliste für 4 Portionen:

500 g Hähnchenbrust, 200 g Instant Couscous, 380 ml Hühnerbrühe, 1 Zwiebel, 1 Grüne Chili, 1 Rote Chili, 3 Knoblauchzehen, 1/2 Granatapfel, 2 EL Öl, 1/2 TL Kümmel, 1 TL Paprikapulver edelsüß, 1 Bund Koriander, Salz, Pfeffer

Zubereitung:

1. Die Zwiebel und den Knoblauch schälen und klein hacken.

2. Die Hähnchenbrust in Stücke schneiden.

3. Die Chilis waschen, den Strunk entfernen und die Chilis klein hacken.

4. Den Granatapfel schälen und die Kerne heraus lösen. Die Zitrone auspressen.

5. Das Öl in einem hohen Topf erhitzen und das Hähnchen darin abraten. Die Zwiebeln, Knoblauch und Chili dazugeben und für 5 Minuten mit braten. Die Brühe hinzufügen und 10 Minuten köcheln lassen.

6. Den Koriander klein hacken.

7. Den Zitronensaft in die Brühe geben und den Couscous hinzufügen. Alles 5 Minuten quellen lassen.

8. Den Koriander darüber streuen und die Granatapfelkerne dazu geben.

Türkische Aubergine

Zubereitungszeit: 30-45 Minuten

Schwierigkeitsgrad: Leicht

Zutatenliste für 4 Portionen:

4 Auberginen, 200 g Hackfleisch vom Rind, 2 EL Öl, 1 EL Rapsöl, 1 Zwiebel, 2 Knoblauchzehen, 1 Paprika Grün, 250 g passierte Tomaten, 1 Bund Petersilie, 1 TL Chiliflocken, 1 TL Paprika edelsüß, 1 TL Kümmel, 1 TL Zimt, Salz, Pfeffer

Zubereitung:

1. Den Backofen auf 180°C Umluft vorheizen und ein Backblech mit Backpapier auslegen.

2. Die Aubergine bis zur Mitte halbieren und leicht auseinander drücken. Das Öl auf die offenen Seiten verteilen und die Aubergine im Backofen 20 Minuten garen.

3. Die Zwiebel und den Knoblauch schälen und klein hacken.

4. Die Paprika waschen und den Strunk sowie die Kerne heraus lösen und die Paprika klein hacken.

5. In einer Pfanne das Rapsöl erhitzen und die Paprika, Zwiebel und Knoblauch darin anbraten. Das Hackfleisch dazu geben und alles würzen. Die Tomaten dazu geben und 5 Minuten köcheln lassen.

6. Die Aubergine aus dem Ofen nehmen und mit der Hackfleischfüllung füllen. Erneut 20 Minuten in den Backofen geben.

Garnelen Spanisch

Zubereitungszeit: 20-25 Minuten

Schwierigkeitsgrad: Leicht

Zutatenliste für 4 Portionen:

1 Bund Petersilie, 1 Chili rot, 3 Knoblauchzehen, 24 große Garnelen, 6 EL Öl

Zubereitung:

1. Die Petersilie waschen und abtropfen lassen. Die Petersilie klein hacken.

2. Die Chili von dem Strunk entfernen und ebenfalls fein hacken.

3. Die Garnelen schälen und die Schwanzstücke daran lassen.

4. Den Knoblauch schälen und klein hacken. Das Öl in einer Pfanne erhitzen und den Knoblauch hinzufügen.

5. Die Garnelen in die Pfanne geben und garen.

6. Die Petersilie darüber streuen und die Chili unterheben.

Serrano Schnaken

Zubereitungszeit: 30-35 Minuten

Schwierigkeitsgrad: Leicht

Zutatenliste für 4 Portionen:

1 Packung Blätterteig, 1 Packung Kräuter TK, 2 Knoblauchzehen, 1 TL Olivenöl, 50 g Käse gerieben, 100 g Serrano Schinken, 50 g schwarze Oliven ohne Stein, 1 Prise Salz, 1 Prise Pfeffer, 1 Prise Paprikapulver rosenscharf

Zubereitung:

1. Die Oliven klein hacken und mit den Kräutern und Gewürzen vermischen. Das Öl dazu geben.

2. Den Knoblauch schälen und ebenfalls fein hacken und zu den Gewürzen und Kräutern geben.

3. Den Blätterteig ausrollen und die Kräutermischung darauf verstreichen. Den Serrano Schinken darüber legen und alles mit dem Käse bestreuen.

4. Den Blätterteig zu einer Rolle formen und die Rolle in 1,5 cm breite Scheiben schneiden.

5. Die Scheiben auf ein Backblech mit Backpapier geben und bei 200°C Umluft für 20 Minuten backen.

Kabab syrisch

Zubereitungszeit: 20-25 Minuten

Schwierigkeitsgrad: Leicht

Zutatenliste für 4 Portionen:

500 g Rinderhack, 1 Zwiebel, 1 Bund Petersilie, 1 Ei,
3 Knoblauchzehen, 1 Prise Zimt, 1 TL Kümmel, 1 TL Kurkuma, Pfeffer, Öl

Zubereitung:

1. Die Zwiebel und den Knoblauch schälen und fein hacken.

2. Die Petersilie waschen und abtropfen lassen, anschließend die Petersilie klein hacken.

3. Das Hackfleisch mit den Zutaten verkneten und in gleich große Bällchen formen. Die Bälle leicht andrücken.

4. Die Pfanne mit dem Öl erhitzen und die Fleischbälle darin von allen Seiten gut durch garen.

Tel Aviv Gerichte

Challah jüdisches Sabbath Brot

Zubereitungszeit: 45 Minuten

Schwierigkeitsgrad: Leicht

Zutatenliste für 1 Brot:

50 g Hefe, 1 El Zucker, 1 TL Salz, 380 ml Wasser warm, 75 ml Öl, 1 kg Mehl, 1 Ei, Sesam und Mohn zum bestreuen

Zubereitung:

1. Die Hefe mit dem Zucker, Salz und etwas Wasser ansetzen.

2. Das Mehl mit der Hefemischung und den restlichen Zutaten verkneten.

3. Den Teig ca. 30 Minuten gehen lassen.

4. Den Teig in 6 gleiche Portionen zerteilen und zu Rollen formen. Diese Rollen ineinander zu einem Zopf flechten.

5. Bei 200°C Umluft ca. 30 Minuten backen.

Tel Aviv Kekse

Zubereitungszeit: 20-25 Minuten

Schwierigkeitsgrad: Leicht

Zutatenliste für 20 Kekse:

250 g Zucker, 300 g Mandeln gemahlen, 5 Tropfen Bittermandelaroma, 3 Eiweiß, 1 TL Backpulver, Puderzucker zum bestreuen.

Zubereitung:

1. Die Mandeln mit dem Zucker und dem Backpulver verrühren.

2. Das Bittermandelaroma hinzufügen.

3. Die drei Eiweiß hinzufügen und alles zu einem Teig verkneten.

4. Den Teig für 30 Minuten kaltstellen. Danach den Teig zu kleinen Kugeln formen und im Puderzucker wälzen.

5. Die Kugeln auf ein Backblech mit Backpapier setzen und für 13 Minuten bei 180°C Umluft backen.

Latkes israelisch

Zubereitungszeit: 20-25 Minuten

Schwierigkeitsgrad: Leicht

Zutatenliste für 2 Portionen:

6 Kartoffeln, 1 Zwiebel, 2 Eier, 60 g Mehl, Salz, Pfeffer, Öl zum frittieren, 4 Äpfel, 1 TL Zimt, 1 Prise Nelken, 1 Prise Kardamom

Zubereitung:

1. Die Äpfel schälen und den Strunk sowie das Kerngehäuse entfernen. Die Äpfel mit dem Zimt, Nelken und dem Kardamom in einen Mixer geben und pürieren.

2. Die Kartoffeln und die Zwiebel schälen und fein raspeln. Beides so gut wie möglich auspressen.

3. Die Kartoffel-Zwiebel Mischung in eine Schüssel geben und die Eier hinzufügen. Mit Salz und Pfeffer würzen und gut verkneten.

4. In einer Pfanne das Öl zum frittieren erhitzen und den Teig löffelweise hineingeben. Die Latkes ca. 2 Minuten frittieren und mit dem Apfelmus servieren.

Israel Bier Brot

Zubereitungszeit: 20-25 Minuten

Schwierigkeitsgrad: Leicht

Zutatenliste für 1 Brot:

300 g Mehl, 1 TL Salz, 1 TL Zucker, 2 EL Öl, 1 Flasche Bier, 1 TL Sesam, 1 TL Mohn, 1 Päckchen Backpulver

Zubereitung:

1. Das Mehl mit dem Backpulver und den anderen trockenen Zutaten mischen.

2. Nach und nach das Bier und das Öl hinein geben und alles zu einen Teig verkneten.

3. Den Teig in eine Brotform geben und bei 180°C Umluft für 40 Minuten backen.

Auberginen Joghurt

Zubereitungszeit: 20-25 Minuten

Schwierigkeitsgrad: Leicht

Zutatenliste für 4 Portionen:

1 Auberginen, Öl, 200 g Joghurt, 2 Knoblauchzehen, Salz, Pfeffer, 1 Bund Minze, 2 Zwiebeln

Zubereitung:

1. Die Auberginen waschen und in Scheiben schneiden, die Scheiben mit Salz bestreuen und ziehen lassen. Die Auberginen abspülen und trocken tupfen.

2. Die Scheiben in Öl anbraten und auf ein Backblech mit Backpapier geben, anschließend in den heißen Ofen schieben und von beiden Seiten bräunen.

3. Die Minze waschen und abtropfen lassen, die Minze hacken.

4. Den Knoblauch schälen und durch eine Presse geben.

5. Die Zwiebel schälen und fein hacken .

6. Den Joghurt mit den Gewürzen, dem Knoblauch und den Zwiebeln sowie der Minze vermischen.

7. Die Auberginen in eine Schüssel schichten. Immer Auberginen und Joghurt aufeinander stapeln.

Minz Tahini

Zubereitungszeit: 20-25 Minuten

Schwierigkeitsgrad: Leicht

Zutatenliste für 4 Portionen:

100 g Tahini Sesampaste, Saft einer Zitrone, 1 Knoblauchzehe, 5 Stängel Minze, Salz, Pfeffer, 100 ml Wasser

Zubereitung:

1. Die Blätter der Minze vom Stiel trennen und fein hacken.

2. Tahini mit dem Wasser und den restlichen Zutaten verrühren.

Zimt Kebap

Zubereitungszeit: 20-25 Minuten

Schwierigkeitsgrad: Leicht

Zutatenliste für 4 Portionen:

500 g Lammhackfleisch, 8 Zimtstangen, 1 Zwiebel,
2 Knoblauchzehen, 1/2 Bund Petersilie, 50 g Pinienkerne gehackt,
1 TL Backnatron, Salz, Cayennepfeffer, Cumin,
Öl zum Braten

Zubereitung:

1. Die Zwiebel und den Knoblauch schälen und klein hacken.

2. Die Petersilie fein hacken.

3. Das Hackfleisch mit den Zwiebeln, dem Knoblauch und der Petersilie sowie den Gewürzen verkneten.

4. Das Hackfleisch in 8 Kebabs formen und eine Zimtstange rein stecken.

5. Das Öl in einer Pfanne erhitzen und die Hackfleischkeulen darin 10 - 12 Minuten garen.

Schakschuka

Zubereitungszeit: 20-25 Minuten

Schwierigkeitsgrad: Leicht

Zutatenliste für 2 Portionen:

2 weiche Tomaten, 1 Knoblauchzehe, 1 Zwiebel, 1 Paprika Rot, 1 Dose gehackte Tomaten, 1 Knoblauchzehe, 200 g frischer Spinat, 4 Eier, 1 El Wasser, 1 Prise Pfeffer, Salz, 1 Prise Kurkuma

Zubereitung:

1. Die zwei weichen Tomaten mit einer Reibe zerreiben und die Knoblauchzehe schälen und ebenfalls durch die Reibe reiben.

2. Die Zwiebel und die Knoblauchzehe schälen und beides fein hacken.

3. Die Paprika waschen und den Strunk sowie die Kerne entfernen.

4. Den Spinat waschen und abtropfen lassen.

5. Die Zwiebel und den Knoblauch anbraten und die Paprika hinzufügen. Die Dose Tomaten einrühren und köcheln lassen. Den Spinat sowie die geriebenen Tomaten hinzufügen.

6. Die Soße würzen und die Eier in die Mitte schlagen, nicht umrühren. Alles köcheln lassen bis die Eier gar sind.

Arabische Makrele

Zubereitungszeit: 20-25 Minuten

Schwierigkeitsgrad: Leicht

Zutatenliste für 4 Portionen:

4 Makrelen küchenfertig, Salz, Pfeffer, 2 TL Zitronensaft, 2 Zwiebeln, 2 Knoblauchzehen, 500g Kartoffeln, 1 TL Öl, 1 TL Tomatenmark, 80 ml Wasser, 1 TL Kurkuma, 1 TL Curry, 1 TL Cayennepfeffer, 1 Bund Petersilie gehackt

Zubereitung:

1. Die Makrelen waschen und den Schwanz sowie die Schuppen entfernen. Den Fisch außen sowie innen mit Salz und Pfeffer einreiben und mit der Zitrone beträufeln.

2. Die Zwiebeln und den Knoblauch schälen und fein hacken.

3. Die Kartoffeln schälen und in Viertel schneiden und in eine Auflaufform geben, die Zwiebeln und den Knoblauch darüber geben.

4. Das Tomatenmark mit den Gewürzen und dem Wasser verrühren und über die Kartoffeln geben.

5. Den Fisch auf die Kartoffeln setzen und 5 Minuten bei 200°C Umluft garen, danach den Ofen auf 180°C Umluft stellen und weitere 25 Minuten garen.

6. Den Koriander darüber streuen.

Süßspeisen

Afghanische Halva

Zubereitungszeit: 20-25 Minuten

Schwierigkeitsgrad: Leicht

Zutatenliste für 4 Portionen:

1 Tasse Margarine, 2 Tassen Vollkornmehl, 1 Tasse Wasser, 1 Tasse Zucker, 2 TL Kardamompulver, 1 Prise Zimt

Zubereitung:

1. Die Margarine in einer Pfanne schmelzen und das Mehl unter ständigen Rühren hinzufügen. Ca. 5 Minuten leicht anbraten.

2. Das Wasser mit dem Zucker verrühren und nach und nach hinzufügen.

3. Den Teig so lange in der Pfanne verteilen, bis er krümlig wird.

4. Den Zimt und das Kardamom darüber streuen und alles für 10 Minuten mit geschlossenem Deckel ziehen lassen.

Halka

Zubereitungszeit: 20-25 Minuten

Schwierigkeitsgrad: Leicht

Zutatenliste für 4 Portionen:

1 kg Zucker, 1 Liter Wasser, 1 Saft einer Zitrone, 3 Eier, 150 g Joghurt, 150 ml Milch, 150 ml Öl, 1 TL Salz, 3 EL Speisestärke, 1/2 Zitrone, 1 Päckchen Backpulver, 450 g Mehl, Öl zum frittieren

Zubereitung:

1. Den Zucker mit dem Wasser und dem Saft einer Zitrone aufkochen.

2. Für den Teig das Mehl mit dem Backpulver mischen. Die Eier, Joghurt, Öl, Milch, Salz, Speisestärke und den Saft der halben Zitrone mit einander verrühren.

3. Den Teig in einen Spritzbeutel füllen.

4. In einem Topf Öl zum Frittieren erhitzen.

5. Den Teig aus dem Spritzbeutel in Kringel in das Öl spritzen.

6. Die Kringel aus dem Öl nehmen und etwas abtropfen lassen. Danach in die Zuckermischung tauchen und abtropfen lassen.

Schoko Hummus

Zubereitungszeit: 20-25 Minuten

Schwierigkeitsgrad: Leicht

Zutatenliste für 4 Portionen:

160 g Mandeln, 20 Datteln entkernt, 4 Dosen Kichererbsen, 120 g Backkakao, 8 EL Ahornsirup, 4 TL Vanille Extrakt, 1 TL Zimt, 480 ml Milch

Zubereitung:

1. Die Mandeln in einem Mixer mahlen.

2 .Die Kichererbsen in einem Sieb abtropfen lassen.

3. Die Kichererbsen und mit den Datteln, dem Zimt, Ahornsirup, Vanille Extrakt, Kakaopulver, der Milch und den Mandeln in einen Mixer geben und pürieren, bis es eine feste Maße ist.

Zimt Aprikosen

Zubereitungszeit: 20-25 Minuten

Schwierigkeitsgrad: Leicht

Zutatenliste für 4 Portionen:

16 Aprikosen getrocknet, 200 ml Orangensaft, 1 EL Zucker,
1 EL Zimt, 1 Chili, 50 g Walnüsse, 125 g Ricotta, Salz,
4 Stängel Minze

Zubereitung:

1. Die Aprikosen mit dem Orangensaft, dem Zucker und dem Zimt ca. 10 Minuten einkochen.

2. Die Aprikosen heraus nehmen und den Saft eindicken.

3. Die Chili entkernen und den Strunk entfernen, die Chili fein hacken.

4. Die Walnüsse in einer heißen Pfanne rösten und hacken.

5. Den Ricotta mit ca. 3 Esslöffeln des entstandenem Sirup vermischen. Den Ricotta mit dem Zimt und der Chili vermischen.

6. Die Aprikosen halbieren und dem Ricotta mit einem Spritzbeutel hinein geben.

7. Die Minze klein hacken und darüber streuen.

Apfelkuchen israelisch

Zubereitungszeit: 20-25 Minuten

Schwierigkeitsgrad: Leicht

Zutatenliste für 4 Portionen:

200 g Butter, 125 g Zucker, 2 Eier, 1 Becher Joghurt, 220 g Mehl, 1 Päckchen Backpulver, 4 Äpfel, 4 EL Zucker, 2 TL Zimt, Prise Nelkenpulver, 1 TL Kardamompulver

Zubereitung:

1. Die Äpfel schälen und das Kerngehäuse entfernen. Die Äpfel in kleine Stücke schneiden.

2. Die 4 Esslöffel Zucker mit dem Zimt vermischen.

3. Eine Springform einfetten.

4. Die restlichen Zutaten zu einem Teig verkneten, 2/3 des Teig in eine Springform geben und ausrollen. Der Rand sollte etwas hoch gezogen sein.

5. Die Äpfel auf dem Teig verteilen und mit der Zucker-Zimt-Mischung bestreuen. Die Äpfel mit dem restlichen Teig bedecken.

6. Den Kuchen nochmals mit Zucker und Zimt bestreuen und für 40-45 Minuten bei 180°C Umluft backen.

Plava

Zubereitungszeit: 20-25 Minuten

Schwierigkeitsgrad: Leicht

Zutatenliste für 2 Portionen:

6 Eier getrennt, 250 g Zucker, 125 g Mehl, 60 g Mandeln gemahlen, 1 TL Zimt, Saft einer Zitrone,

Für die Soße: 1 EL Pfeilwurzelmehl, 375 ml Wasser, 150 g Zucker, 1 Saft einer Zitrone, 2 Eier getrennt,

Zubereitung:

1. Die Springform (21 cm) einfetten und den Backofen vorheizen auf 180°C Umluft.

2. Die Soße zubereiten, in dem man die Pfeilwurzelstärke und den Zucker vermischt und nach und nach das Wasser sowie den Zitronensaft dazu gibt. Das Eigelb unterschlagen und die Mischung für 4 Minuten aufkochen bis sie eindickt. Das Eiweiß steif schlagen und unter die ausgekühlte Soße heben.

3. Die Eidotter mit der Hälfte des Zuckers aufschlagen. Das Eiweiß steif schlagen und den restlichen Zucker langsam unter das Eischnee heben.

4. Das Mehl mit den Mandeln und dem Zimt vermischen und das Eiweiß unterheben. Das Eigelb dazu geben und mit dem Zitronensaft alles verrühren.

5. Den Kuchen für 45-50 Minuten backen.

Baklava

Zubereitungszeit: 20-25 Minuten

Schwierigkeitsgrad: Leicht

Zutatenliste für 4 Portionen:

20 Yufkateigblätter, 250 g Butter, 300 g Pistazien ungesalzen, 4 EL Zucker, 1 TL Zimt, 150 ml Wasser, 150 g Zucker, Saft einer Zitrone

Zubereitung:

1. Den Backofen auf 180°C Umluft vorheizen.

2. Die Butter in einem Topf schmelzen und die Yufkablätter passend zu ihrer Backform zuschneiden.

3. Die Pistazien mit dem Zimt und 4 Esslöffel Zucker sowie dem Zimt in einen Mixer geben und mixen.

4. Die Backform einfetten und 5 der Teigblätter in die Form legen und nach und nach mit Butter bestreichen.

5. Die Füllung zu 1/3 auf die Blätter geben und erneut 5 Teigblätter Buttern und in die Form legen. Den Vorgang wiederholen. Die letzte Schicht sollte ein Yufkablatt sein.

6. Die Baklava mit einem Messer zu Rechtecken einschneiden und mit der restlichen Butter bestreichen. Alles für 25 Minuten in den Ofen geben.

7. Das Wasser mit dem Zucker aufkochen und den Zitronensaft dazu geben. Die heißen Baklava damit begießen und mit etwas Pistazien bestreuen.

8. Die Baklava für 1 Stunde ziehen lassen.

Sesam Eiscreme

Zubereitungszeit: 20-25 Minuten

Schwierigkeitsgrad: Leicht

Zutatenliste für 8 Portionen:

6 Eigelb, 120 g Zucker, 200 ml Sahne, 400 ml Milch,
80 g Muscovadozucker, 300 g Tahin, 5 ml Rum,
5 EL Sesamstreusel

Zubereitung:

1. Die Eigelb mit dem Zucker schaumig rühren.

2. Die Milch und die Sahne mit dem Muscovadozucker erhitzen.

3. Die heiße Milch in das Ei geben und rühren.

4. Die Maße im Wasserbad unter Rühren auf 80°C erhitzen und eindicken lassen.

5. Die Tahinpaste unterheben und auflösen.

6. Den Rum einrühren.

7. Die Masse in Eiswasser unter rühren abkühlen und in eine Form geben. Das Eis für mindestens 5 Stunden in die Gefriertruhe geben.

8. Das Eis 30 Minuten vor dem Verzehr heraus nehmen und mit dem Sesam bestreuen.

Tut Persisch

Zubereitungszeit: 20-25 Minuten

Schwierigkeitsgrad: Leicht

Zutatenliste für 2 Portionen:

2 Tassen Mandelsplitter, 2 Tassen Puderzucker,
4 EL Rosenwasser, 1 Tasse Zucker zum Wälzen,
10 g Pistazien gehackt

Zubereitung:

1. Die Mandeln mit dem Puderzucker in den Mixer geben. Die Mandeln kurz mit dem Puderzucker mixen und nach und nach das Rosenwasser dazu geben.

2. Den Zucker in eine Schüssel geben und aus dem Teig kleine Kegel rollen und im Zucker wälzen.

3. Auf die Kegelspitze Pistazien stecken und die Kegel auf einer Platte anrichten.

Haftungsausschluss

Die Umsetzung aller enthaltenen Informationen, Anleitungen und Strategien dieses Buches erfolgt auf eigenes Risiko. Für etwaige Schäden jeglicher Art kann der Autor aus keinem Rechtsgrund eine Haftung übernehmen. Für Schäden materieller oder ideeller Art, die durch die Nutzung oder Nichtnutzung der Informationen bzw. durch die Nutzung fehlerhafter und/oder unvollständiger Informationen verursacht wurden, sind Haftungsansprüche gegen den Autor grundsätzlich ausgeschlossen. Ausgeschlossen sind daher auch jegliche Rechts- und Schadenersatzansprüche. Dieses Werk wurde mit größter Sorgfalt nach bestem Wissen und Gewissen erarbeitet und niedergeschrieben. Für die Aktualität, Vollständigkeit und Qualität der Informationen übernimmt der Autor jedoch keinerlei Gewähr. Auch können Druckfehler und Falschinformationen nicht vollständig ausgeschlossen werden. Für fehlerhafte Angaben vom Autor kann keine juristische Verantwortung sowie Haftung in irgendeiner Form übernommen werden.

Urheberrecht

1. Auflage

Kontakt: JT-Handels-UG/ Berumer Str. 44/ 26844 Jemgum